교실 속 투명 인간

교실 속 투명 인간

발 행 | 2023년 12월 8일
저 자 | 이성민
펴낸이 | 한건희
펴낸곳 | 주식회사 부크크
출판사등록 | 2014.07.15.(제2014-16호)
주 소 | 서울특별시 금천구 가산디지털1로 119 SK트윈타워 A동 305호
전 화 | 1670-8316
이메일 | info@bookk.co.kr

ISBN | 979-11-410-5820-3

www.bookk.co.kr

교실 속 투명 인간

석산초 3학년 5반 아이들이 짓고
이성민 선생님이 엮다

차례

★일러두기

1. 이 시는 2023년 석산초등학교 3학년 5반 아이들이 직접 쓴
   글입니다.
2. 맞춤법 쓰기와 띄어쓰기는 아이들 글을 그대로 옮겼습니다.
3. 잘못된 맞춤법이나 띄어쓰기 중에서 일부만 아래에 바르게 표
   기하였습니다.

1부

우리 엄마

아이들은 다양한 이야기를 시로 표현하였습니다. 그중에서 가족에 관한 이야기가 가장 많습니다. 또 가족 중에서도 엄마의 이야기가 많은 것은 당연하겠습니다. 여기 1부에서는 가족과 친구의 이야기에 덧붙여 가족 같은 반려동물의 이야기를 시로 나타낸 것을 모았습니다.

우리 엄마

이지혁

엄마는 잔소리를 해요.
나를 위해 하는 거예요.
우리가 잘 크기 위해.

따라쟁이 동생

박다원

"치킨 먹고 싶다"
"치킨 먹고 싶다"

"나는 박다원"
"나는 박다원"

동생은 나를 따라한다.

엄마는 아빠가 싫은가 보다

언니가 엄마한테
"이거 아빠오면 줘"
라고 얘기한다.
엄마는
"엄마 초코 좋아하는데"
라고 하면서
아빠 거를 먹어 버린다.
엄마는 아빠가 싫나 보다.

아빠는 탄산 안 먹는다

이 건

아빠는 탄산을 이제 안 먹는다고 한다.
콜라를 먹고 있는데
아빠 눈이 콜라에 가 있다.
"아빠, 내가 콜라 줄까?"
"아니, 괜찮아"
나는 아빠가 너무 걱정이 된다.

몽실이의 입원

전유라

우리 강아지 몽실이
초콜릿 먹고 입원했다.
몽실이가 없으니 심심하다.
"몽실아!"
"아! 맞다. 몽실이 없지."
집이 허전허전
집이 조용조용
보고 싶은 몽실이

등짝 스매싱

박규린

내가 공부보다 싫은 것은
엄마의 등짝 스매싱.

나는 추워

이은지

"엄마, 나 추워."
"엄마는 더워."

"너는 왜 그렇게 추위를 많이 타?"
"엄마는 왜 그렇게 더위를 많이 타?"

어른들 마음대로

정우윤

어른들은 맨날
"넌 커서 뭐가 돼?"
라고 하신다.
화내면 혼난다.
어른들 마음대로.

엄마는 마법사

이유주

우리 엄마는 마법사
리모컨이 안 보일 때
엄마께 말하면
뚝딱 찾아 내는
우리 엄마는 마법사

동생은 잠꾸러기

강민재

동생은 맨날 늦게 일어난다.
내가 방에 들어가서 깨우면
들은 척도 안한다.

친구들의 아쉬움

김가인

축구 할 때
친구들이 뽑아 달라 한다.
가위 바위 보 이겼을 때
"가인아, 나 뽑아 줘"

친구들의 아쉬움이 많다.
인기가 많은 내가 참 좋다.

할머니 할아버지 댁

정채민

할머니 할아버지 댁에 가면
'윙 윙' 모기소리가 난다.
'짝 짝' 박수를 쳐도
모기는 날아다닌다.

외할머니 외할아버지 댁에 가면
모기는 없는데
와이파이가 않잡힌다.

채민이 인생 최악의 생일파티

진서윤

채민이, 수린이, 건이와
등교 길에 만나
반에 들어 가려고 하는데
"생일 축하합니다~"
노랫소리가 들린다.
오늘이 채민이 생일이었다.
친구들이
"생일 축하해."
를 반복했다.
나도 싫은데 채민이도 싫겠지?

너무 다르다

김하윤

나는 동생과 너무 다르다.
동생은 치마를 좋아하고,
난 바지를 좋아한다.

동생은 강아지를 무서워 하고,
난 좋아한다.

동생과 나는 너무 다르다.

동생

심서하

귀여운 동생
놀아 달라고 하는 내동생
안놀아 주면 삐진다.

부자

송민관

엄마는
돈이 없다고 하면서
엄마가 사고 싶은 것은
무엇이든 산다.
엄마는 내가 사달라고 하면
돈이 없어진다.

힘들다

조민우

사촌 동생 놀아주기 힘들다.
동생 달래주기 힘들다.

우리 아빠는 천하장사

박시은

우리 아빠는 동생을 번쩍
무거운 가방을 번쩍
그래서 아빠는 천하장사

동생은 거짓말쟁이

문소민

동생이 나한테 시비를 걸었다.
그순간 내가 말했다.
"야! 너 유치원 몇층이야?"
"나? … 나 100층이야."
'치… 뻥치시네, 2층이면서'
나는 마음 속으로 생각했다.

우리 엄마는 왕

정지한

우리 엄마는 우리 집 서열 1위
'머 해라'라고 하면
머 해야 하고
'공부해!' 하면
공부해야 한다.

엄마의 거짓말

김연서

엄마는 항상
내 방을 보며 말한다.

"연서야! 너 방이 이게 뭐야!
자다가 귀신 나오겠다."

하지만 엄마 말씀대로
내 방에 귀신이 나온 적은 없다.

쓰레기장

최라온

내 가방은 쓰레기장

아이스크림 먹고 가방에
과자 먹고 가방에
돈 남은 것도 가방에
카드도 가방에
딱지도 가방에

엄마는
"쫌 치워라 가방에 귀신 살겠다!"
하지만 치우기 귀찮은 내 가방

어제 받은 모자

주진우

어제 아빠께서
모자를 사셨다.
"진우에게 어울리네!"
아빠께서 모자를 선물로 주셨다.

게임 한 번 실컷 하고 싶다.

박서현

"엄마! 게임 풀어줘!"
"알았어. 10분만 풀어줄게."
"30분?"
"안돼"
"그럼 25분?"
"안돼"
"20분?"
"안돼! 10분!"
힝... 게임 한 번 실컷하고 싶다.

뭐든지 잘해주는 우리 엄마

강수린

받아쓰기를 틀리면
"괜찮아 다음에 더 많이 맞으면 되지!"
슬프면
"속상해?"
하며 위로해 주는 우리 엄마
너무 고맙다.

엄마가 데리러 오는 날

천준한

오늘 엄마가 출장을 갔다와서
엄마가 나를 학교까지 데리러 온다.
그 시간은 내가 학교를 마칠때이다.
기분이 좋다.

2부
으스스 독감

2부에서는 아이들이 겪은 일에 대해 표현한 것을 모았습니다. 일상에서 겪은 작은 일들을 글로 나타내었습니다.

으스스 독감

김연서

머리가 '뜨끈뜨끈'
기침을 '콜록콜록'
목은 '따끔따끔'

으스스 독감

딱 3분 게임

주진우

오늘은 월요일
엄마에게 들키지 않게
조심해서 게임을 한다.
들키면 엄마가 게임기를 압수해서
주말에 돌려준다.
혼나기 전에
딱 3분만 한다.

어려운 수학

이은지

수학 문제를 맞혔다.
수학이 쉽다.
나는 이제 수학이 좋다.

기분이 좋아서 수학 문제를 또 푼다.

문제를 틀렸다.
수학이 어려워졌다.
나는 또 다시 수학이 싫어졌다.

맵찔이

김치도 맵고
진순도 맵고
엽떡도 맵고
다 매워.

※ 진순 (진라면 순한 맛)

큐브 만들기

박규린

큐브를 만든다.
컴퍼스로 달고나 하듯이 자른다.
다 잘라서
붙이고 붙이고 계속 붙여서
드디어 완성이다.

아침

강민재

아침에 일어나면
계속 잠이 온다.
안잘려 해도
내 몸이 침대로 간다.

선수단 골반 운동

이유주

선수단 골반 운동은
언제 해도 힘들다.
골반 운동은 싫다.

주말이랑 많이 다른 평일

이지혁

주말에는 게임 유튜브를 보니깐
하루가 끝나고
평일에는 수업 학원하고
유튜브랑 게임 쪼금하고 숙제를 한다.
평일에는 왜 이렇게 공부를 많이 할까?
그게 싫다.

제사

문소민

집 전체 불을 끄고
제사를 지내는데
너무 무섭다.

추운 겨울 아침

조민우

아침마다 추운 공기가 날 맞이해 준다.
그래서 나는 아침마다
"으흐으으! 추워"
라고 하며 이불 안으로 들어간다.
학교 갈 때 마다
손이 얼어 버릴 것 같다.

우리집 물고기 레미

강수린

우리집
물고기는
작은 수족관에 산다.

갈데가 없어
꼬리와 지느러미만
살랑살랑

감기

정채민

어떤 재밌는 날에만
내 몸속으로
놀러 오는 감기

다른 친구들은
밖에서 재밌게 놀지만
나만 외톨이로 집에 있다.

감기는 너무하다.

육상대회

김가인

양산 종합운동장에 오자말자
실감이 난다.
본부석에 가 달리기 준비 할 때
가슴에 폭죽이 펑펑
"준비, 차렷, 팡!"
닥다다닥
결국 4등

※ 가인이는 학교 육상 대표로 뽑혀 대회에 나갔습니다.

할머니 집에서 악몽 꾸다

천준한

할머니 집에 자는 날이었다.
그 시간은 밤 몇시였다.
잠을 잘 때 좋은 꿈을 꾸면 좋은데
그때 잠이 들었다.
악몽을 결국 꾸게 됐다.
인형 악몽을 꿨다.

싫은 공부

박다원

공부는 너무 싫다.
공부를 5시간이나 하다니.
엄마는 공부 한 문제만 풀어도
엄청 똑똑하다고 한다.
그럴거면 난 지금 아이큐가 1000이 넘었겠다.

감기보다 아픈 약

진서윤

감기 걸렸을 때 기침하면 아프다.
감기 약 먹으면
"우엑엑엑"
더 아프다.

추석

심서하

"와~ 추석이다"
"용돈 많이 받아야지"
용돈을 엄마가 가져 갔다.
힝 내 용돈.

축구 학원

송민관

축구 학원에서
밸런스가 안 맞아서
내가 나쁜 말을 썼다.

괜히 나쁜 말을 썼다.
벤치에 앉아 있는
내 모습이 보인다.

바람

박시은

학교 오는 길에
바람 분다.
"와~ 시원해."
이제 가을인가 보다.

시

정지한

시 쓰는 것은 싫다.
재미도 없고
시 생각하는 것도 싫다.
시 쓰는 건 정말 싫다.

색종이

최라온

어제 산 색종이
빨, 주, 노, 초, 파, 남, 보, 핑, 검, 흰색!!
색이 많다.

'뭘 접을까?'

학을 접었다.
딱지를 접었다.
미니카를 접었다.

오! 미니카 괜찮다!
멋져서 많이 접었다.

우리 엄마는 고맙다

이 건

학교 마치면
기다리는 엄마.

엄마가 기다리면
가방도 들어주고
음식도 사주고
학교에서 뭐 했냐고 물어보고
우리 엄마는 고맙다.

레인보우 프렌즈

박서현

추석때 사촌동생과 로블록스를 했다.
레인보우 프렌즈도 하고 잼깰타도 했다.
레인보우 프렌즈를 하면서
같이 블루를 놀리다가
사촌동생이 죽었다.
"언니! 언니도 죽어!"
나도 죽었다.

몽실이는 귀여워

전유라

학교에서 오면
꼬리를 살랑살랑
흔드는 몽실이

내가
"우쭈쭈 귀여워"
라고 하면

꼬리를 더 살랑살랑 흔드는
몽실이는 귀여워

이럴 때만 엄마의 기억력은 100점

예은서

엄마의 기억력하고
내 기억력은 다르다.

"엄마 나 피아노 학원 안 가면 안돼?"
"너가 피아노 학원 가겠다고 했잖아."
"언제? 아! 맞다."
엄마는 나 보다 더 늙었는데
이런 거는 기억력이 나보다 더 좋다.

불쌍한 우리 엄마

김하윤

동생과 나와 내방에서 자고 있는데
동생이 울었다.
그래서 나는 황급히 엄마를 깨웠다.
다시 자는데 동생이 오줌을 쌌다.
엄마는 한숨을 쉬며 세탁을 한다.

3부
엄마는 멋진 요리사

길을 걷다 만난 고양이와 급식실에서 본 파리 한 마리 그리고 엄마의 다이어트 모습까지 일상에서 만나는 작은 것들을 잘 살펴 보고 글로 표현하였습니다.

엄마는 멋진 요리사

심서하

우리 엄마는 요리사예요.
맛있는 음식을 잘 만들어요.
그래서 엄마가 조아요.

할머니 댁

김연서

추석 때
할머니 댁에 놀러가면

"연서야, 전 좀 먹어봐."
"연서야, 고기 좀 먹어봐."
"연서야, 과일 좀 먹어봐."

집에 가서 몸무게를 재면
10kg은 쪘을 것 같다.

재미가 없는 공부

이지혁

공부는 싫지만
외워야 한다.
왜냐면
바보는 싫어서.

급식실에 또 온 악덕 단골 똥파리

문소민

밥을 먹고 있었다.
그때 '윙~ 윙~ 윙~'
우리 급식실 단골 똥파리였다.
똥파리가 친구 머리에 앉았다.
'으아악~~' 마음속으로 외치면서
급식실을 벗어났다.

365일 다이어트

이은지

우리 엄마는 다이어트를 한다.
어제도 했고,
오늘도 한다.
내일도 할거다.

점심 시간

박규린

점심 시간은
수업 시간보다 긴데
수업 시간보다 빨리 간다.

김장

정우윤

차 타고 2시간.
김치 때문에
김장 때문에
많이 힘들다.

길 고양이

이유주

착한 길 고양이
다른 사람이 만져도
가만이 있는 착한 길 고양이

비 오는 소리

강민재

'뚜둑뚜둑'
비오는 소리
'타닥타닥'
우산에 비 맞는 소리

시원한 얼음

조민우

우리 아빠는
시원한 얼음이 들어간 주스를 먹을 때 마다
"캬~!"
라고 하신다.
시원한 얼음 씹어 먹을 때 마다
'오도독! 오도독!'
시원한 물에 녹아 더 시원하다.

다이어트 음식 라면

학교 마치고
집에 갔는데
엄마가 라면을 먹는다.
"엄마 다이어트 한다며?"
"라면은 다이어트 음식이야."
엄마가 얄밉다.

배꼽 물 탱크

김가인

샤워 할 때
배꼽에 물탱크가 있냐?
배꼽에서 물이 줄줄줄줄
배꼽의 비밀을 알고 싶다.

길 고양이

정채민

떡볶이를 사고 길고양이를 만났다.
'와! 고양이다!
너무 귀여워!'
만져보고 싶은 고양이
하지만 못 만진다.

한 번 가까이 다가가 보지만
고양이는 겁을 먹은지 도망갔다.
만지지 못하는 길고양이
너무 귀엽다.

시계

진서윤

미술 수업 할 땐 시계가 빨리 간다.
수학 수업 할 땐 시계가 느리게 간다.

귀여운 길고양이

김하윤

차를 타고 집을 갈여고 하는데
귀여운 길고양이가 울고 있다.

차에서 뒤적뒤적 츄르를 찾았다.
길고양이에게 짜 주었다.

이제 가야 하는데
길고양이는 츄르를 기다린다.

다시 차에서 뒤적뒤적 찾아서
츄르를 1개 더 주었다.

귀여운 길고양이와
인사하며 차를 탄다.

엄마가 용돈을 받는 날

송민관

할머니가
우리가 집으로 갈 때
엄마한테
할머니가 돈을 준다.
엄마가
"엄마 괜찮아."
엄마는
어쩔수 없이 돈을 받는다.

엄마는 우리집 청소 로봇

예은서

우리집에서
엄마는 요리사
엄마는 청소 로봇
난 엄마를 도와주고 싶다.

다람쥐

박시은

현장 체험 날
"오 다람쥐다"
드디어 다람쥐를 보네!

달팽이

정지한

느릿느릿 달팽이
느릿느릿 한 게 마치
내 공부 시간 갔다.

※ 갔다(같다)

셔틀런

최라온

태권도에서 셔틀런을 했다.
삑! 소리에 달려야 된다.
50단계는 쉽다.
77부터는 땀이 뻘뻘...
힘든 걸 이겨보니 100단계다.

추석 음식

이 건

조상님께 절을 하고 있는데
식탁 앞에 있는 음식
침이 꿀꺽.
절이 끝나면
맛있는 음식이
내 배 속에 있겠지.

월화수목금토일

전유라

월화수목금...
토 일!
월요일 힘들고
화요일도 힘들고
수요일도 힘들고
특히 목요일은... 더 힘들다.
금요일은 그나마 덜 힘들다.
토요일 너무나 힘들지 않는다.
일요일 내... 일 월요일이다!!

엄마 치킨 사줘

천준한

내가 치킨이 땡길 때
맨날 엄마에게 치킨을 사달라고 한다.
먹었을 때 '바삭바삭' 하고 맛있었다.

게임 엔딩

주진우

열심히 게임을 한다.
엄청난 시간이 걸렸다.
그만큼 재밌다.
조금만 더 하면 게임 엔딩.
역시 게임은 재밌다.
하지만 그만해야 한다.

팔자 놀이

박서현

빙그르 빙그르
술래가 없으면 돌다가
술래가 오면
"으악!"
도망가다 '꽈당!'
친구들이 우르르
"야, 좀 비켜!"
결국 싸움이 났다.

※ 아이들이 점심 시간 주로 하는 놀이이다. 8자 모양
으로 그려진 그림판 위에서 잡기 놀이를 한다.

고양이 냥젤리

강수린

고양이 발바닥은
말랑 쫀득하다.
계속 만지고 싶다.

4부
교실 속 투명 인간

투명 인간이 되어서 마음껏 교실을 다니는 아이, 낙엽을 밟다가 갑자기 생각난 치킨 이야기처럼 밝고 재미난 이야기들이 넘쳐납니다. 그러나 겨우 3학년인 아이들이 학업에서 받는 걱정과 스트레스가 많아 안쓰럽습니다.

교실 속 투명 인간

이은지

지루한 수업시간.
장난 치고 싶다.

투명 인간이 돼서
칠판에 낙서하고
책을 들고 뛰어 다닐 거다.

낙엽 밟기

진서윤

낙엽이 쪼그라 들었다.
낙엽을 밟으니 '바삭바삭'

치킨 먹고 싶다!

시집

전유라

드디어 학교에서
시집을 만든다.
추억과 재미있는 이야기
나는 시집이 빨리 나왔으면 좋겠다!

주말과 평일

김연서

학교가는 날에는
7시 40분이 넘어
겨우겨우 일어나지만

주말에는 6시만 되어도
눈이 번쩍 떠진다.

사기꾼 내 친구

최라온

내가 친구한테
아이스크림을 사줬다.

친구가
"꼭! 값을게!!"

다음 날, 1주일 뒤, 3주 뒤
안값는다.

물어보니
"내가 언제 돈 빌렸냐?"
아까운 600원.

회오리

이 건

학교를 가고 있다.
바람이 '휘휘' 분다.
내 앞에 나뭇잎이
회오리처럼 돌고 있다.
그걸 보고 나니 회전 목마 타고 싶다.

일요일 밤

정지한

일요일 밤이다.
자고 싶지 않다.
내일 학교 가기 싫다.
태권도도 가기 싫다.
주말은 왜 2일인지 모르겠다.
주말이 5일이고 평일이 2일이면 좋겠다.

수학시험

박규린

수학 시험을 쳤다.
상금이 있다.
아깝게도 한 개 틀렸다.
트로피만 나왔다.
다음 시험을 기다려야 되겠다.

독도

정우윤

독도는 우리 땅
일본이 안좋다.
자꾸 울컥 화 나!

떡볶이

이유주

쫀득쫀득한 떡
맛있는 떡볶이
엄마께서 만들어 주신
맛있는 떡볶이

학원 신청하는 날

천준한

엄마가 전화를 했다.
엄마가 말하는데
학원을 또 신청해서 한 번 상담을 밧았다.
그레서 목요일에 가기로 했다.
조금 아슬한 날이었다.

※ 밧았다(받았다)

새우가 불쌍한 날

강민재

친척들과 새우를 먹으러 갔다.
새우가 엄청 맛있었다.
계속 먹으니 새우가 불쌍했다.

주사

문소민

주사를 맞으러 갔다.
주사를 기다리는데 두근두근 떨렸다.
눈을 꼭감으며 주사를 맞았다.
'어? 하나도 안아팠다.'
하지만 동생이 맞으니
소리를 꽥꽥 질렀다.
주사는 어린 아이들만 괴롭힐 수 있다.

엄청 피곤한 날

이지혁

오늘 학교 갈려는데 피곤하다.
오늘이 토요일이면 정말 좋겠다.

시간

강수린

시간은 변덕쟁이
내맘대로 안되는 시간

숙제 할 땐
달팽이처럼 느리게

게임 할 땐
1초인거 같에

신난다

조민우

신난다.
내일 학교 안가서 신난다.

신난다.
할머니 집가서 신난다.

신난다.
폰을 바꿔서 신난다.

나는 나뭇잎의 여왕

박서현

등교하는 길
색이 최대한 다양한 나뭇잎을 찾아야 한다.
그 중 나는 큰 나뭇잎을 찾고 싶었는데
마침 색이 다양한 나뭇잎을 찾았다.
"내가 여왕이다."

수학싫어

박다원

수학 싫어!
짜증나고 화나고
수학문제 풀려면
손이 떨리고

수학은 너무 싫어!

독감 주사 대기 시간

김가인

독감 주사
'아플거 같다.'
점점 내 차례가 온다.
가슴에서 축제가 열린다.

학원 시험은 어려워

정채민

학원에서 하는 시험
답을 적고 채점 하면
1개 2개는 틀려 있다.

'100점 받고 싶다!' 라고
소리 지르고 싶지만
학원이어서 아무것도 못한다.
역시 학원 시험은 어렵다.

겁쟁이 내동생

김하윤

길을 지나가다
강아지가 보이면
"우아! 강아지다. 귀엽다."
라고 아는 척을 하지만
강아지가 다가오면
바로 무섭다고 울며
아빠에게 안아 달라고 한다.
겁쟁이 같다.

수학은 싫어

심서하

수학은 싫다.
수학은 지루 하다.
수학이 없으면 좋겠다.

아픈 날

송민관

오랜만에 월요일이다.
월요일은 축구학원 가는 날이다.
근데 또 신나는 날에 아파서
축구학원에 가지 못 했다.
나는 맨날 신나는 날에 아프다.

지친다

주진우

술래잡기를 했다.
너무 지친다.
계단 때문에 더 지친다.
땀 때문에 더더욱 지친다.
빨리 수업을 하고 싶다.

6교시

박시은

반갑지 않은 목요일
'하... 또 목요일이야!'
'아... 제발 오지마라~'
정말 싫은 6교시.

아빠의 기억력은 0점

엄마는
아빠가 방금한 말도
기억 못 한다고 했다.

나는 속으로 '아니겠지' 했는데
엄마 말이 맞았다.